CHILE

PABLO VALENZUELA VAILLANT

Edición, textos y fotografías · Photographed, written and published by
PABLO VALENZUELA VAILLANT

·

Diseño y diagramación · Layout and design by
MARGARITA PURCELL MENA

·

Traducción al inglés · Translated by
PATRICIO MASON

·

Impresión · Printed by
OGRAMA S.A.

$\mathcal{D}$ESDE EL ALTIPLANO NORTINO HASTA LOS CAMPOS DE HIELOS AUSTRALES, CHILE ASOMBRA POR SU NATURALEZA. ESTE LARGO Y ANGOSTO PAIS, QUE SE EXTIENDE POR MAS DE 4.000 KILOMETROS EN COMPAÑIA DE LOS ANDES Y EL PACIFICO, OFRECE LA MAS INCREIBLE DIVERSIDAD DE CLIMAS Y PAISAJES: DESIERTO, VOLCANES, RIOS, LAGOS, BOSQUES, FIORDOS Y MONTAÑAS.

CHILE ES, SIN DUDA, UNA TIERRA DE AVENTURA, UN PARAISO PARA LOS AMANTES DE LA NATURALEZA. UN PAIS DONDE SE PUEDE DISFRUTAR DE LA SOLEDAD ABSOLUTA EN INFINITOS RINCONES DE INCOMPARABLE BELLEZA. DESDE LAS COLOSALES CUMBRES DE MAS DE 6.000 METROS QUE EMERGEN DE LAS ALTIPLANICIES NORTINAS A LOS INCONTABLES LAGOS QUE SE DIBUJAN EN MEDIO DE LOS BOSQUES SUREÑOS.

TRES ELEMENTOS BIEN MARCADOS DELINEAN GRAN PARTE DE LA GEOGRAFIA DE CHILE: AL ORIENTE, LA CORDILLERA DE LOS ANDES; AL CENTRO, LA DEPRESION INTERMEDIA; Y AL PONIENTE, LA CORDILLERA DE LA COSTA. PESE A LA ACCIDENTADA TOPOGRAFIA, RECORRER EL PAIS NO ES TAREA DIFICIL: COMO UN GRAN EJE QUE VA DE NORTE A SUR, LA CARRETERA LONGITUDINAL MARCA EL INICIO DE LOS RECORRIDOS TRANSVERSALES, GENERALMENTE MUY CORTOS, DADA LA CERCANIA ENTRE CORDILLERA Y MAR. TAL VENTAJA DESAPARECE EN CIERTOS SECTORES DEL EXTREMO AUSTRAL, DONDE LAS ISLAS, FIORDOS Y GLACIARES IMPIDEN LA COMUNICACION POR TIERRA.

LA POBLACION CHILENA, CERCANA A LOS QUINCE MILLONES DE HABITANTES, SE CONCENTRA MAYORITARIAMENTE EN LA ZONA CENTRAL, DONDE SE UBICA SANTIAGO, LA CAPITAL, Y LAS CIUDADES DE VIÑA DEL MAR Y VALPARAISO.

GENEROSO EN YACIMIENTOS MINEROS, EL NORTE GRANDE SORPRENDE POR SU INMENSIDAD Y SOLEDAD SOBRECOGEDORA. INTERMINABLES LLANURAS Y SERRANIAS RESECAS, INTERRUMPIDAS POR MINUSCULOS OASIS, SE PROLONGAN DESDE EL MAR HASTA LOS VOLCANES Y NEVADOS QUE EMERGEN EN EL HORIZONTE. JUSTO ALLI SE EXTIENDE EL ALTIPLANO CHILENO, ATRACTIVA REGION COLMADA DE SALARES, LAGUNAS, BOFEDALES Y POBLADOS PREHISPANOS. MAS AL SUR, COBRAN FUERZA LOS VALLES TRANSVERSALES, DONDE EL VERDE DE LOS CULTIVOS CONTRASTA CON LA ARIDEZ DE LOS CERROS.

EXTENSOS Y FERTILES VALLES AGRICOLAS MARCAN EL INICIO DE LA ZONA CENTRAL DEL PAIS. ES AQUI DONDE MEJOR SE APRECIAN LAS CARACTERISTICAS MAS PECULIARES DE LA CHILENIDAD. EN ESTA REGION SE ENCUENTRA SANTIAGO, CIUDAD A LOS PIES DE LOS ANDES Y A UNOS 100 KILOMETROS DEL PACIFICO. ESTA CORTA DISTANCIA ENTRE CORDILLERA Y MAR ES UNA PARTICULAR GRACIA QUE PERMITE DISFRUTAR DE LA MONTAÑA EN VARIOS CENTROS INVERNALES Y DE LAS PLAYAS EN ENCANTADORES BALNEARIOS.

MAS AL SUR, LAS PRECIPITACIONES AUMENTAN Y EL PAISAJE SE HACE CADA VEZ MAS VERDE. APARECEN LOS BOSQUES, LOS QUE COLMAN DE VIDA QUEBRADAS Y FALDEOS CORDILLERANOS. NOTABLE POR SUS PAISAJES, EL SUR DE CHILE ES UN FABULOSO ROMPECABEZAS DE LAGOS, RIOS Y VOLCANES. ES EL PARAISO DEL EXCURSIONISMO, LOS DEPORTES NAUTICOS, LA PESCA, EL RAFTING Y LAS TERMAS. AUNQUE SU MAYOR GRACIA ESTA EN LA NATURALEZA, ALGUNAS CIUDADES Y PUEBLOS SUREÑOS NO DEJAN DE TENER ATRACTIVO, ESPECIALMENTE AQUELLAS DONDE SE APRECIA LA HUELLA DEJADA POR LOS COLONOS ALEMANES QUE ARRIBARON AQUI DURANTE EL SIGLO PASADO.

EN LA MITAD SUR DE LA REGION DE LOS LAGOS, EL GRAN VALLE CENTRAL DESAPARECE BAJO EL MAR, DANDO ORIGEN A UN SINFIN DE ISLAS, CANALES Y FIORDOS. ALLI ESTA CHILOE, PINTORESCO ARCHIPIELAGO

REPLETO DE IGLESIAS DE MADERA Y DE EMBARCACIONES SURCANDO SUS AGUAS. AL ORIENTE, EL CORDON ANDINO EMERGE A TRAVES DE ESCARPADOS PICACHOS CUBIERTOS DE SELVA VIRGEN Y CORONADOS POR HIELOS. ES EL INICIO DE LA PATAGONIA CHILENA, EN CUYO EXTREMO NORTE AVANZA LA LLAMADA CARRETERA AUSTRAL, VERDADERO HITO DEL SUR DE AMERICA.

MAS ALLA, IRRUMPEN LOS CAMPOS DE HIELO SUR Y NORTE, ENORMES EXTENSIONES DE GLACIARES QUE SE VIERTEN SOBRE ALGUNOS LAGOS Y FIORDOS DEL PACIFICO. AL ORIENTE, MILES DE OVEJAS TAPIZAN LAS PRADERAS DE LAS GRANDES ESTANCIAS GANADERAS. EN EL EXTREMO AUSTRAL, EL TERRITORIO CONTINENTAL DESAPARECE EN EL CABO DE HORNOS, CONFIN DEL CONTINENTE SUDAMERICANO, PARA REAPARECER FINALMENTE EN LA ANTARTICA.

ALL THE WAY FROM THE ANDEAN HIGHLANDS OF THE NORTH TO THE ICEBOUND EXPANSES OF THE SOUTH, NATURE IN CHILE NEVER CEASES TO AMAZE. STRETCHING OVER 4,000 KM IN A NARROW LEDGE SANDWICHED BETWEEN THE ANDES AND THE PACIFIC, THIS THIN SLIVER OF A COUNTRY CONTAINS A MOST IMPLAUSIBLE ARRAY OF CLIMATES AND LANDSCAPES -FROM DESERTS, VOLCANOES, AND RIVERS, TO LAKES, WOODLANDS, FJORDS, AND MOUNTAINS.

CHILE IS, WITHOUT DOUBT, A TRUE DELIGHT FOR LOVERS OF NATURE AND ADVENTURE. IT IS A COUNTRY WITH ENDLESS VISTAS OF UNMATCHED BEAUTY, PEACE, AND QUIET -FROM THE COLOSSAL HEIGHTS REACHING UPWARDS OF 6,000 M IN THE NORTH TO THE MYRIAD LAKES WHICH DOT THE THICKLY-WOODED COUNTRYSIDE IN THE SOUTH.

CHILE FEATURES THREE WELL-DEFINED GEOGRAPHICAL DISTRICTS: THE ANDES MOUNTAIN RANGE TO THE EAST; THE INTERMEDIATE DEPRESSION IN THE CENTRE, AND THE COASTAL RANGE TO THE WEST. CHILE IS CRISSCROSSED BY AN EXTENSIVE NETWORK OF HIGHWAYS AND ROADS WHICH MAKE TRAVEL EASY IN SPITE OF THE RUGGED TERRAIN. WITH THE MOUNTAINS AND THE SEA IN CLOSE PROXIMITY, MOST EAST-WEST DRIVING IS GENERALLY FAST EXCEPT IN SOUTHERNMOST CHILE, WHERE A PROFUSION OF ISLANDS, FJORDS, AND GLACIERS IMPEDE OVERLAND TRAVEL.

MOST OF THE CHILEAN POPULATION -SOME 15 MILLION STRONG- INHABIT THE AREAS IN AND AROUND SANTIAGO AND THE TWIN CITIES OF VIÑA DEL MAR AND VALPARAISO.

THE BARREN, AWE-INSPIRING VASTNESS OF THE MINERAL-RICH GREATER NORTH OFTEN OVERWHELM THE VISITOR. HERE, LIMITLESS EXPANSES OF BONE-DRY HILLY DESERT, RELIEVED ONLY OCCASIONALLY BY SMALL OASES, EXTEND ALL THE WAY FROM THE COAST TO THE TOWERING VOLCANOES AND PEAKS OF THE ANDES. TO THE EAST, THE ANDEAN HIGHLANDS ARE A FASCINATING REALM OF LAGOONS, BOGS, DRY SALT LAKES, AND PRE-COLUMBIAN VILLAGES. FURTHER SOUTH, DEEP-GREEN VALLEYS RUNNING EAST-WEST STAND IN STRIKING CONTRAST TO THE PARCHED HILLTOPS.

LARGE, AGRICULTURALLY-RICH VALLEYS MARK THE BEGINNING OF CENTRAL CHILE, WHERE MOST DISTINGUISHING CHILEAN TRADITIONS TOOK SHAPE. THIS IS THE SITE OF SANTIAGO, THE SPRAWLING CAPITAL CITY SITTING AT THE FOOT OF THE ANDES A SCANT 100 KM AWAY FROM THE SEASHORE. IN FACT, SHORT DISTANCES MAKE IT QUITE POSSIBLE TO TAKE TO THE SLOPES IN THE MORNING, THEN ENJOY A FINE BEACH IN THE AFTERNOON.

STILL FARTHER SOUTH, AVERAGE RAINFALL INCREASES, THE LANDSCAPE TURNS GREEN ALL AROUND, AND THICK FORESTS ENLIVEN THE RAVINES AND FOOTHILLS OF THE ANDES. RENOWNED FOR ITS BREATHTAKING VISTAS, THE SOUTH OF CHILE IS AN OUTLANDISH MAZE OF LAKES, RIVERS, AND VOLCANOES. THIS IS A TRUE PARADISE FOR LOVERS OF WATER SPORTS, HIKING, WHITE-WATER RAFTING, AND HOT SPRINGS. ALTHOUGH MOST OF THE CHARM OF SOUTHERN CHILE LIES IN ITS COUNTRY, ITS TOWNS -ESPECIALLY THOSE WHERE THE LEGACY OF 19TH-CENTURY GERMAN SETTLERS IS IN EVIDENCE- ARE NOT WITHOUT APPEAL.

SOUTH OF THE LAKE DISTRICT, THE CENTRAL VALLEY BREAKS UP INTO COUNTLESS ISLETS, CHANNELS, AND FJORDS. THIS IS CHILOE, THE ARCHIPELAGO OF PICTURESQUE WOODEN CHURCHES AND COLORFUL FISHING BOATS. BLANKETED IN VIRGIN RAINFOREST AT THE FOOT AND SNOW-CAPPED AT THE TOP, THE JAGGED RIM OF THE ANDEAN HEIGHTS STANDS TO THE EAST. FURTHER SOUTH IS THE BEGINNING OF PATAGONIA, WHOSE

NORTHERN END CAN BE TRAVELLED THROUGH THE SOUTHERN ROADWAY -A MUST-SEE IN THIS SOUTHERNMOST PART OF THE AMERICAS.

FURTHER ON THERE LIE THE GREAT NORTHERN AND SOUTHERN ICE FIELDS AND VAST EXPANSES OF GLACIERS CEASELESSLY COLLAPSING ONTO LAKES AND FJORDS ON THE PACIFIC. TO THE EAST, LARGE HERDS OF SHEEP GRAZE ON THE GREAT SHEEP RANCHES OF PATAGONIA. AT THE SOUTHERNMOST TIP OF THE CONTINENT, CHILE SINKS INTO THE ICY WATERS OFF CAPE HORN, ONLY TO RESURFACE IN THE ICEBOUND REALM OF ANTARCTICA.

CHILE

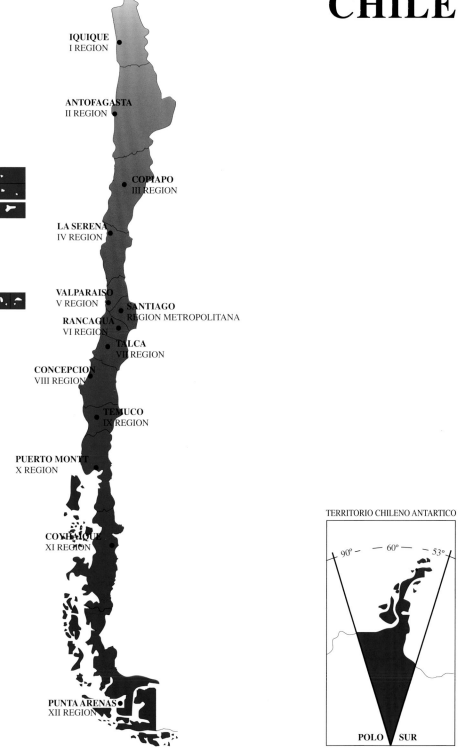

IQUIQUE
I REGION

ANTOFAGASTA
II REGION

COPIAPO
III REGION

LA SERENA
IV REGION

VALPARAISO
V REGION

SANTIAGO
REGION METROPOLITANA

RANCAGUA
VI REGION

TALCA
VII REGION

CONCEPCION
VIII REGION

TEMUCO
IX REGION

PUERTO MONTT
X REGION

COYHAIQUE
XI REGION

PUNTA ARENAS
XII REGION

TERRITORIO CHILENO ANTARTICO

90°   60°   53°

POLO SUR

GEISERS DEL TATIO, II REGION
EL TATIO GEYSERS, REGION II

VOLCAN PARINACOTA, I REGION
MT. PARINACOTA, REGION I

SALAR DE SURIRE, I REGION
SURIRE SALT LAKE, REGION I

ISLUGA, I REGION
ISLUGA, REGION I

PARINACOTA, I REGION
PARINACOTA, REGION I

RIO DE JAUNA, II REGION
JAUNA RIVER, REGION II

VALLE DE CAMIÑA, I REGION
CAMIÑA VALLEY, REGION I

FLAMENCOS EN LA LAGUNA SANTA ROSA, III REGION
FLAMINGOES IN SANTA ROSA LAGOON, REGION III

SALAR DE ATACAMA, II REGION
ATACAMA SALT LAKE, REGION II

PARQUE NACIONAL VOLCAN ISLUGA, I REGION
MT. ISLUGA NATIONAL PARK, REGION I

PARQUE NACIONAL LAUCA, I REGION
LAUCA NATIONAL PARK, REGION I

SALAR DE CARCOTE, II REGION
CARCOTE SALT LAKE, REGION II

LAGUNA VERDE, III REGION
VERDE LAGOON, REGION III

CAMINO A SURIRE, I REGION
ROAD TO SURIRE, REGION I

CAMINO A PEDERNALES, III REGION
ROAD TO PEDERNALES, REGION III

LAGO CHUNGARA, I REGION
CHUNGARA LAKE, REGION I

CAMINO AL PASO DE SAN FRANCISCO, III REGION
ROAD TO SAN FRANCISCO PASS, REGION III

VALLE DE LA LUNA, II REGION
VALLE DE LA LUNA, REGION II

VALLE DEL ELQUI, IV REGION
ELQUI RIVER VALLEY, REGION IV

31

PARQUE NACIONAL PAN DE AZUCAR, III REGION
PAN DE AZUCAR NATIONAL PARK, REGION III

TOTORALILLO, IV REGION
TOTORALILLO, REGION IV

VOLCAN RANO RARAKU, ISLA DE PASCUA, V REGION
MT. RANO RARAKU, EASTER ISLAND, REGION V

AHU TONGARIKI, ISLA DE PASCUA, V REGION
TONGARIKI AHU, EASTER ISLAND, REGION V

SANTIAGO, REGION METROPOLITANA
METROPOLITAN SANTIAGO

SANTIAGO, REGION METROPOLITANA
METROPOLITAN SANTIAGO

ISLA ROBINSON CRUSOE, V REGION
ROBINSON CRUSOE ISLAND, REGION V

38

CONSTITUCION, VII REGION
CONSTITUCION, REGION VII

VIÑA DEL MAR, V REGION
VIÑA DEL MAR, REGION V

VALPARAISO, V REGION
VALPARAISO, REGION V

ALTO LIRCAY, VII REGION
ALTO LIRCAY, REGION VII

SIERRAS DE BELLAVISTA, VI REGION
BELLAVISTA MOUNTAIN RANGE, REGION VI

LAGUNA SUAREZ, VII REGION
SUAREZ LAGOON, REGION VII

SANTOS DEL MAR, CHANCO, VII REGION
SANTOS DEL MAR, CHANCO, REGION VII

PARQUE NACIONAL CONGUILLIO, IX REGION
CONGUILLIO NATIONAL PARK, REGION IX

RIO BIOBIO, VIII REGION
BIOBIO RIVER, REGION VIII

RADAL SIETE TAZAS, VII REGION
RADAL SIETE TAZAS, REGION VII

VOLCAN CALLAQUI, VIII REGION
MT. CALLAQUI, REGION VIII

CERRO EL PEÑASCO, VII REGION
EL PEÑASCO RIDGE, REGION VII

LAGO CONGUILLIO, IX REGION
CONGUILLIO LAKE, REGION IX

LAGO CABURGUA EN OTOÑO, IX REGION
CABURGUA LAKE IN AUTUMN, REGION IX

CAMPOS DE RAPS, CURACAUTIN, IX REGION
RAPESEED FIELDS, CURACAUTIN, REGION IX

PARQUE NACIONAL VILLARRICA, IX REGION
VILLARRICA NATIONAL PARK, REGION IX

LENGAS, PARQUE NACIONAL HUERQUEHUE, IX REGION
LENGAS, HUERQUEHUE NATIONAL PARK, REGION IX

VOLCAN OSORNO, X REGION
MT. OSORNO, REGION X

PARQUE NACIONAL PUYEHUE, X REGION
PUYEHUE NATIONAL PARK, REGION X

VOLCAN LLAIMA, IX REGION
MT. LLAIMA, REGION IX

ARAUCARIAS EN INVIERNO, IX REGION
ARAUCARIAS IN WINTER, REGION IX

PUERTO VARAS, X REGION
PUERTO VARAS, REGION X

ISLAS CHAUQUES, CHILOE, X REGION
CHAUQUES ISLETS, CHILOE, REGION X

MECHUQUE, CHILOE, X REGION
MECHUQUE, CHILOE, REGION X

FIORDO QUINTUPEU, X REGION
QUINTUPEU FJORD, REGION X

CARRETERA AUSTRAL, XI REGION
SOUTHERN ROADWAY, REGION XI

LAGO PUYEHUE, X REGION
PUYEHUE LAKE, REGION X

CARRETERA AUSTRAL, XI REGION
SOUTHERN ROADWAY, REGION XI

RIO CAJON EN OTOÑO, XI REGION

CAJON RIVER IN AUTUMN, REGION XI

PUERTO NATALES, XII REGION
PUERTO NATALES, REGION XII

TERMAS DE PUYUHUAPI, XI REGION
PUYUHUAPI HOT SPRINGS, REGION XI

LAGUNA SAN RAFAEL, XI REGION
SAN RAFAEL LAGOON, REGION XI

VENTISQUERO SAN RAFAEL, XI REGION
SAN RAFAEL GLACIER, REGION XI

71

LAGO BERTRAND, XI REGION
BERTRAND LAKE, REGION XI

PARQUE NACIONAL QUEULAT, XI REGION
QUEULAT NATIONAL PARK, REGION XI

RIO GRANDE, XI REGION
GRANDE RIVER, REGION XI

RIO PAINE, XII REGION
PAINE RIVER, REGION XII

TORRES DEL PAINE, XII REGION
TORRES DEL PAINE, REGION XII

CUERNOS DEL PAINE, XII REGION
CUERNOS DEL PAINE, REGION XII

SENO GARIBALDI, CORDILLERA DARWIN, XII REGION
GARIBALDI SOUND, DARWIN MOUNTAIN RANGE, REGION XII

ISLA MAGDALENA, ESTRECHO DE MAGALLANES, XII REGION
MAGDALENA ISLAND, STRAIT OF MAGELLAN, REGION XII

CAMPOS JUNTO AL LAGO VARGAS, XI REGION
FIELDS ON THE SHORES OF LAKE VARGAS, REGION XI

PARQUE NACIONAL TORRES DEL PAINE, XII REGION
TORRES DEL PAINE NATIONAL PARK, REGION XII

LAGO GREY, XII REGION
GREY LAKE, REGION XII

ANTARTICA, XII REGION
ANTARCTICA, REGION XII